Analyse d'œuvre

Rédigée par Eléonore Sibourg

La Peste

d'Albert Camus

ALBERT CAMUS

- Né le 7 novembre 1913 à Mondovi (Algérie).
- Mort le 4 janvier 1960 à Villeblevin (France).
- **Œuvres principales :**
  - *L'Étranger* (roman, 1942)
  - *Le Mythe de Sisyphe* (essai, 1943)
  - *Les Justes* (pièce de théâtre, 1949)

Né en Algérie, Albert Camus a connu la misère durant toute son enfance. C'est grâce à un instituteur bienveillant qu'il poursuit des études qui le conduiront finalement au journalisme, au théâtre et à la littérature.

Ce qui ressort avant tout de l'œuvre de l'écrivain est son engagement. Dans un siècle où les guerres font rage et où les droits de l'homme sont bafoués par les dictatures et la barbarie, Camus a toujours défendu publiquement la justice, la dignité et la démocratie. Figure intellectuelle majeure de l'après-guerre, il est souvent comparé à Jean-Paul Sartre (philosophe et écrivain français, 1905-1980). Il serait cependant inexact de dire de son œuvre qu'elle appartient à l'existentialisme, la philosophie développée par l'auteur de *L'Être et le Néant* (1943). Camus affirme en effet sa singularité en s'opposant à toute idéologie dès lors qu'elle peut s'avérer meurtrière, et ce, quelle qu'en soit la nature. Cette position tranchée, jamais démentie, lui vaudra de nombreuses critiques.

L'œuvre de Camus s'oriente autour de thèmes majeurs qui traversent toute son œuvre : le lyrisme de la Méditerranée, de ses populations et de ses paysages, mais aussi, et surtout, l'absurde de la condition humaine. Car comment vivre alors que nous allons tous mourir, et que toute perspective de transcendance est désormais dépassée ?

La réponse est aussi simple qu'elle est complexe à mettre en œuvre : la révolte. C'est grâce à elle que l'on dépasse l'absurde de la vie, par la solidarité des hommes et la nécessité de l'art.

Trois ans après avoir reçu le prix Nobel de littérature, Albert Camus meurt prématurément dans un accident de voiture le 4 janvier 1960. Il laisse un roman autobiographique inachevé, *Le Premier Homme*, qui donne toute la mesure de son humanisme et de son talent et qui sera publié par sa fille en 1994.

LA PESTE

- **Genre :** roman.
- **1re édition :** en 1947.
- **Édition de référence :** *La Peste*, Paris, Gallimard, coll. « Folio », 2003.
- **Personnages principaux :**
    - Bernard Rieux, le médecin, archétype de la révolte.
    - Jean Tarrou, un étranger venu séjourner à Oran, qui représente l'homme absurde.
    - Joseph Grand, un employé municipal.
    - Rambert, journaliste parisien.
    - Cottard, personnage secondaire immoral.
    - Le père Paneloux, le prêtre.
- **Thématiques principales :** l'absurde et la révolte, l'exil et la séparation, les métaphores de la peste, l'échec de la communication entre les hommes, la mort.

Lancé en 1942, le cycle de l'absurde (*L'Étranger*, *Le Mythe de Sisyphe* et *Caligula*) expose de manière assez pessimiste l'inadaptation de l'homme au monde. L'absurde naît de la contradiction, de « cette confrontation entre l'appel humain et le silence déraisonnable du monde » (*Mythe de Sisyphe*, Paris, Gallimard, 2003, p. 46). L'homme exige de l'ordre et de la raison afin de comprendre le monde dans lequel il vit, pour justement pouvoir y vivre. Or le monde est irrationnel et injuste : des innocents meurent ou tombent malades ; la vie n'est qu'une suite de répétitions que stoppe irrémédiablement, un jour, la mort, sans que l'on puisse expliquer pourquoi.

Le cycle de la révolte, qui s'ouvre avec *La Peste*, permet de dépasser cette condition : l'homme ne doit pas être solitaire mais solidaire. C'est l'action collective qui redonne sens à la vie. Les protagonistes du roman luttent donc ensemble, chacun à leur manière, contre le fléau dévastateur d'une épidémie. Prisonniers de leur ville, ils connaissent les souffrances de la séparation, de la mort, et d'un emprisonnement qui dure dix longs mois.

Nul doute que ce roman fait écho à la Seconde Guerre mondiale (1939-1945) qui vient de s'achever, et à la peste brune qu'est le nazisme. Il convient tout de même de nuancer cette affirmation, à laquelle *La Peste* ne se limite pas. L'œuvre est à décrypter à un niveau métaphysique : on y perçoit la lutte de l'homme contre sa condition et contre la mort, un combat qui est intemporel.

Malgré les critiques émises par certains intellectuels de son époque, qui qualifient la morale de Camus d'indolente, de passive, car l'auteur refuse à l'homme le droit de tuer, le roman est un succès. Cette popularité ne se dément pas, et le roman est aujourd'hui considéré comme un grand classique de la littérature française.

LA VIE D'ALBERT CAMUS

| Portrait d'Albert Camus, daté de 1957.

DE LA MISÈRE À L'ENGAGEMENT

Albert Camus naît le 7 novembre 1913 à Mondovi, en Algérie, au sein d'un milieu défavorisé. Son père, blessé lors de la bataille de la Marne, meurt en 1914. Sa mère, illettrée, est une personne discrète et silencieuse.

Discernant les aptitudes de Camus, son instituteur, Louis Germain, le pousse à poursuivre ses études après l'obtention de son certificat. Le jeune élève obtient une bourse qui lui permet d'entrer au lycée d'Alger en 1923.

Atteint de tuberculose à l'âge de 17 ans, il part s'installer chez son oncle, Gustave Acault. Ce passionné de littérature l'initie notamment à la lecture de Gide (écrivain français, 1869-1951), en lui faisant découvrir *Les Nourritures terrestres* (1897) que le jeune garçon n'appréciera guère. Les conséquences chroniques de la maladie se rappelleront à Camus tout au long de sa vie : il ne pourra pas présenter les concours d'enseignement, et sera dans l'impossibilité de s'engager dans l'armée lorsque la Seconde Guerre mondiale éclatera.

Il entreprend ensuite des études de philosophie, couronnées par l'obtention du diplôme d'Études supérieures en 1936. À la même époque, il adhère au Parti communiste avant de le quitter en 1937. C'est pendant cette période qu'il participe au mouvement antifasciste Amsterdam-Pleyel, initié par les écrivains français Romain Rolland (1866-1944) et Henri Barbusse (1873-1935), et qu'il fonde en parallèle le Théâtre du Travail, sous l'égide du parti : son engagement est précoce.

Le mouvement Amsterdam-Pleyel

Henri Barbusse et Romain Rolland, profondément pacifiques, lancent un appel dans le journal *L'Humanité* pour que se tienne un congrès mondial contre la guerre. Celui-ci aura lieu à Amsterdam les 27 et 28 août 1932 et rassemblera des personnalités issues de différents partis, ainsi que de nombreux intellectuels tels qu'Einstein (physicien américain d'origine allemande, 1879-1955) ou Gorki (écrivain soviétique, 1868-1936).

UN ENGAGEMENT POLITIQUE ET LITTÉRAIRE

À partir de 1938, Camus commence ses activités de journaliste, qu'il n'abandonnera jamais. Il participe ainsi à *L'Alger républicain*, dirigé par Pascal Pia (1903-1979). Ce journal devient, en 1939, *Le Soir républicain* et voit Camus accéder à la fonction de rédacteur en chef. Mais son interdiction de publication en 1940 conduit le jeune journaliste à se rendre en métropole, où il est engagé comme secrétaire de rédaction à *Paris soir*. Là encore, les effets de la guerre se font ressentir : le journal réduit ses effectifs, et Camus part pour Oran (ville de l'Ouest de l'Algérie) en 1941.

Il s'engage en 1942 dans le réseau Combat, un organe journalistique résistant, et publie *L'Étranger* en juin. En août, il est contraint de partir en France au Chambon-sur-Lignon afin de se soigner, suite à une rechute de sa maladie, laissant sa femme, Francine Faure (1914-1979), en Algérie. Or le débarquement allié du 8 novembre instaure une rupture totale entre la France et l'Afrique du Nord. Camus expérimente ainsi la séparation dont les personnages de *La Peste* témoigneront plus tard. En octobre, il publie *Le Mythe de Sisyphe*, un essai qui constitue le pendant philosophique de *L'Étranger*.

Troupe américaine s'apprêtant à débarquer à Oran en novembre 1942.

En 1943, Camus retourne une nouvelle fois à Paris où il devient lecteur chez Gallimard. Le 21 août 1944, le premier numéro de *Combat* est publié en dehors de la clandestinité. Camus en est rédacteur en chef. Il écrit également *Caligula*, une pièce qui sera finalement montée l'année suivante.

La suite des événements témoigne de son engagement en faveur de la justice et du respect de la dignité humaine. Il condamne les répressions violentes du soulèvement de Sétif en mai 1945. Deux ans plus tard, *La Peste*, un roman humaniste qui présente la révolte des hommes contre le Mal, est publié. En 1949, il lance un appel en faveur du résistant communiste grec condamné à mort, Nikos Beloyannis, ainsi que de ses 11 camarades. Si quatre d'entre eux sont bel et bien exécutés, les autres voient leur peine commuée en emprisonnement à vie. En 1952, il démissionne de l'Unesco suite à l'admission de l'Espagne, alors dirigée par le dictateur Franco (1892-1975), au sein de l'organisation. En 1956, sa voix s'élève encore contre les violences perpétrées par l'URSS en Hongrie et dans les pays de l'Est plus généralement.

L'HOMME RÉVOLTÉ

En 1951 paraît *L'Homme révolté*, un essai philosophique appartenant au même cycle que *La Peste*. Camus y exalte la révolte collective comme moyen de dépasser l'absurde. Si cette révolte peut passer par l'art, qui permet d'atteindre la beauté, elle ne doit en aucun cas être révolution et justifier, au nom d'un idéal, la mort des hommes. Ainsi, pour Camus, l'idéologie marxiste se situe sur le même plan que le christianisme ou le fascisme : ce sont des systèmes totalitaires qui cautionnent l'assassinat et la violence pour arriver à leurs fins, ce qu'il ne peut accepter.

L'ouvrage suscite une violente polémique. Pour ses propos sur Lautréamont (poète français, 1846-1870) dont il critique le conformisme, Camus s'attire les foudres des surréalistes, qui perçoivent le poète comme le précurseur de leur mouvement. Le journal *L'Humanité* ainsi que les intellectuels de gauche ne comprennent pas plus la condamnation du marxisme-léninisme. La controverse atteint son apogée avec Sartre qui rompt de manière officielle avec Camus. Le philosophe écrit à ce propos : « Beaucoup de choses nous rapprochaient, peu nous séparaient. Mais ce peu était encore trop : l'amitié, elle aussi, tend à devenir totalitaire, il faut l'accord en tout ou la brouille. Malheureusement, vous m'avez mis délibérément en cause et sur un ton si déplaisant que je ne puis garder le silence. » (« Réponse à Albert Camus », in *Les Temps modernes*, n° 82, août 1952). Cela n'empêche pas l'auteur des *Mains sales* de saluer, dans le même article, « l'admirable conjonction d'une personne, d'une action et d'une œuvre ».

ENTRE SOLITUDE ET CONSÉCRATION

Albert Camus vit mal ces critiques. Incompris, isolé, il traverse une période noire. Cela ne l'empêche pas de poursuivre son engagement. En parallèle, il publie *L'Été*, un recueil de huit essais d'inspiration méditerranéenne, en 1954. L'auteur collabore également avec *L'Express* jusqu'en février 1956, et poursuit ses activités de dramaturge et de metteur en scène. En mai 1956, *La Chute*, un roman marqué par le pessimisme et la résignation, rompt avec les concepts de révolte et d'action collective, peut-être en raison de la guerre d'Algérie qui sévit alors.

En 1957, il se voit couronner du prix Nobel de littérature. À 47 ans, il est le plus jeune auteur français à recevoir cette distinction. Le discours qu'il fait à l'occasion de la remise du prix (« Discours de

Suède ») est dédié à son ancien instituteur, Louis Germain. En 1959, Camus adapte au théâtre *Les Possédés* de Dostoïevski (romancier russe, 1821-1881), qu'il admire grandement.

L'écrivain meurt prématurément le 4 janvier 1960 dans un accident de voiture, laissant inachevé un roman autobiographique, *Le Premier Homme*, qui sera publié par sa fille Catherine en 1994. Le troisième cycle qu'il avait prévu d'écrire, et qui aurait été consacré à l'amour, après l'absurde et la révolte, n'a jamais vu le jour.

RÉSUMÉ DE *LA PESTE*

L'INVASION DES RATS

Le récit se présente comme une chronique d'événements qui ont eu lieu au cours de la décennie 1940, d'avril à février exactement. L'action se situe à Oran, une ville moderne mais ennuyeuse, « sans pittoresque, sans végétation et sans âme » (p. 13). Ses habitants sont embourbés dans une vie monotone, réglée comme une horloge, dans laquelle on perçoit leur goût du commerce et de l'argent.

Au matin du 16 avril, un rat meurt sur le palier du Dr Bernard Rieux, le personnage principal du roman. Sa femme, malade, s'apprête à partir en station de montagne pour soigner un mal que nous pouvons supposer être la tuberculose. Son mari ne sait pas encore que lui aussi devra lutter de toutes ses forces contre une maladie d'un autre genre.

Très rapidement, alors que les rats meurent par milliers sous les yeux inquiets de la population, Rieux, au cours de ses consultations journalières, rencontre le juge Othon et Raymond Rambert, un journaliste venu de Paris pour enquêter sur les conditions de vie des Arabes à Oran. Le médecin croise un peu plus tard Jean Tarrou, qui s'avérera être lui aussi un protagoniste essentiel, tout comme le père Paneloux, un « jésuite érudit et militant » (p. 25), ainsi que Grand, un employé municipal qui appelle le docteur à l'aide car son voisin, Cottard, a fait une tentative de suicide, ayant visiblement quelque chose à se reprocher. La mère de Rieux, dans le même temps, arrive pour s'occuper de son fils en l'absence de son épouse. Tous les personnages principaux sont ainsi introduits dès les premières pages.

Alors que l'invasion des rats se stabilise, et que les habitants espèrent qu'il s'agit là d'une véritable accalmie, le concierge du docteur meurt des suites d'une fièvre mystérieuse et fulgurante le 30 avril. C'est le premier d'une longue lignée : la peste vient d'entrer dans les maisons. Les jours suivants, les cas de fièvre mortelle se multiplient. Si les rats faisaient le bonheur des journalistes qui se régalaient de statistiques, plus personne n'ose parler de cette épidémie qui s'accompagne de l'apparition de ganglions et d'une suffocation. Castel, un collègue de Rieux, évoque le premier la peste, bien qu'un tel diagnostic paraisse « incroyable » (p. 41).

Très inquiet, Rieux fait se réunir une commission sanitaire à la préfecture, malgré la résistance des autorités qui ne veulent pas alarmer la population. Tandis que la progression de l'épidémie semble favoriser la sociabilité de Cottard, qui trouve dans la situation une occasion de se rapprocher de ses semblables, les sérums commandés à Paris n'arrivent toujours pas. Les premières mesures sanitaires sont lancées par la préfecture. Insuffisantes aux yeux des médecins, elles ne sont qu'un prétexte pour rassurer l'opinion publique. Pourtant, après un pic de l'épidémie, le préfet se résigne, déclare officiellement l'état de peste, et ferme les portes de la ville, dont les habitants sont désormais prisonniers.

LES EXILÉS DE LA PESTE

La fermeture de la ville engendre toute une série de conséquences avec lesquelles la population est obligée de composer. La plus sérieuse d'entre elles, selon le narrateur, est la séparation : ceux qui sont partis en voyage peuvent rentrer s'ils ne craignent pas l'épidémie, mais les voyageurs qui s'apprêtent à quitter Oran, comme c'est le cas de Rambert, sont arrêtés. La communication avec l'extérieur est perturbée et, même à l'intérieur des murs, les habitants, pris dans leur solitude et leur angoisse, ne savent plus comment se parler. On sauve donc les apparences, on s'alcoolise dans l'espoir de tuer le microbe. Progressivement, le rationnement de la population est mis en place, la circulation des automobiles est interdite, la vie économique est bouleversée et le chômage de plus en plus répandu. De son côté, Rieux travaille sans relâche, et, peu à peu, ses relations avec Grand se resserrent, même si l'employé municipal est davantage préoccupé par son projet de roman et sa recherche du mot juste que par l'hécatombe à laquelle il assiste pourtant. Rambert, lui, cherche par tous les moyens à quitter la ville afin de rejoindre sa compagne.

Intervient alors le premier prêche du père Paneloux dans une église bondée. Le prêtre interprète la peste comme un châtiment divin venu punir les Oranais pour leur mauvaise conduite. Peu après, Tarrou, avec l'aide de Rieux, met en place des formations sanitaires pour ceux qui le souhaitent, auxquelles le jésuite finit par participer. Rambert rejoint bientôt lui aussi les équipes de Rieux et Tarrou, et, tous ensemble, ils recommencent chaque jour les mêmes opérations, sous les attaques d'un climat hostile.

MONOTONIE DE L'HORREUR

L'été arrive, puis l'automne ; la peste continue de tuer des centaines de personnes par semaine. Pourtant, les habitants commencent à s'y habituer, et l'épidémie devient une sorte de « piétinement énorme » (p. 173). Les journées se ressemblent, l'indifférence renaît, les gens oublient leurs blessures et déambulent à travers la ville comme des automates : « L'habitude du désespoir est pire que le désespoir lui-même », se désole le narrateur (p. 167).

L'état de siège est déclaré au plus fort de l'épidémie. L'administration s'adapte, tant bien que mal, au rythme du fléau. Elle se révèle finalement aussi froide et inhumaine que la peste elle-même. Alors que l'horreur devient monotone, Rieux et les équipes sanitaires continuent de résister à la maladie, malgré leur immense fatigue.

Castel élabore un sérum, testé sur le fils du juge Othon, atteint par l'épidémie. Mais il n'aura que peu d'effet, et lui, Rieux, Grand, Tarrou et Paneloux assistent impuissants à la douloureuse agonie de l'enfant.

Le docteur s'emporte alors et condamne un Dieu qui laisse mourir les innocents. La foi de Paneloux est, elle aussi, ébranlée, ce qui se ressent dans son second prêche qui est radicalement différent du premier. Mais il choisit, presque par désespoir, « de tout croire, pour ne pas être réduit à tout nier » (p. 205). Il finit par mourir d'une forme de peste ambiguë, à l'image de sa foi.

Aux abords de l'hiver, Tarrou se confesse à Rieux. Il assimile la condamnation à mort de la peste aux peines similaires prononcées par les hommes. Tous deux partagent un moment de liberté et d'amitié en dehors de la ville et se baignent dans la mer. Le répit est bref. Grand tombe malade, mais guérit miraculeusement. La peste est en train de décroître : les rats repeuplent les rues.

ORAN LIBÉRÉ

Le 25 janvier, la préfecture déclare l'épidémie enrayée. Avant que la ville n'ouvre ses portes le 25 du mois suivant, l'espoir revient dans la cité ; la population semble renaître. Pourtant, le malheur continue de frapper certains : Cottard est rattrapé par les événements, et avec le retour de l'ordre survient son arrestation, dont le motif n'est jamais clairement précisé dans le roman. Le temps de la lutte contre le fléau aura été pour lui le temps de la sérénité et de l'intégration sociale.

Dans un dernier sursaut, la maladie emporte Tarrou, au grand désespoir du Dr Rieux qui apprend également par télégramme la mort de sa femme. La peste, en définitive, n'apporte que « la connaissance et la mémoire » (p. 263) : elle force l'homme à prendre acte de son impuissance, et ce dernier ne peut que se souvenir de ceux qu'il a perdus. Rieux continue son œuvre de médecin au milieu d'une allégresse qu'il ne partage pas, car il sait que le bacille de la peste « ne meurt ni ne disparaît jamais », quelle que soit la forme sous laquelle il se présente (p. 279).

L'ŒUVRE EN CONTEXTE

UN SIÈCLE BOULEVERSÉ PAR LA GUERRE

Le xxe siècle est marqué par les conflits, tous plus violents les uns que les autres.

La Grande Guerre (1914-1918), tout d'abord, au cours de laquelle meurt Lucien Camus, est une hécatombe. Le pacifiste Jean Jaurès (1859-1914) est assassiné dès l'ouverture des hostilités. Alors que tous pensaient qu'il serait de courte durée, l'affrontement s'enlise : la guerre des tranchées s'installe rapidement et résonne avec le piétinement de la peste que Camus décrit dans son roman. Les gueules cassées, les mutilés de cette guerre, porteront les stigmates de ce conflit qui ouvre le siècle.

Soldats britanniques enterrés dans leurs tranchées durant la bataille de Cambrai (20 novembre-4 décembre 1917).

La guerre d'Espagne (1936-1939), ensuite, se solde par la chute de la République et la victoire du dictateur Franco, soutenu par Hitler (homme d'État allemand, 1889-1945) et Mussolini (homme d'État italien, 1883-1945). De nombreux intellectuels français, parmi lesquels André Malraux (écrivain et homme politique français, 1901-1976), admiré par Camus, se sont engagés pour cette cause et goûtent les fruits amers de la défaite. C'est à cette occasion que Picasso (1881-1973) peint *Guernica* (1937), sa toile la plus célèbre qui raconte la destruction du village du même nom.

Au pied des canons, tableau représentant la bataille de Belchite (24 août-6 septembre 1937) d'Augusto Ferrer-Dalmau.

Puis survient la Seconde Guerre mondiale (1939-1945) qui couvre la période exacte pendant laquelle Camus rédige *La Peste*. La défaite expéditive de l'armée française laisse place à l'Occupation allemande et à ses restrictions, au régime de Vichy emmené par Pétain

(1856-1951) qui collabore pleinement avec le IIIe Reich. Le monde découvre par la suite l'horreur des camps de concentration et la puissance dévastatrice de l'arme nucléaire.

Photo prise lors de la libération du camp de concentration de Buchenwald, le 16 avril 1945.

Les guerres de décolonisation s'enchaînent après l'armistice, parmi lesquelles celles d'Indochine (1954-1975) et surtout celle d'Algérie (1954-1962), dont les prémices violentes se font sentir de longue date dans les ouvrages de Camus, particulièrement touché du fait de son attachement aux deux pays.

Défilé de la 10e division parachutiste du général Massu au cours de la bataille d'Alger, 1957.

La guerre froide (1945-1990), enfin, oppose les États-Unis à l'URSS. Les deux blocs, l'un capitaliste et l'autre communiste, s'affrontent de manière indirecte afin d'assurer leur hégémonie sur le monde. Les affrontements déclarés ne sont jamais loin, et font planer sur les populations la menace d'une guerre nucléaire. Camus, dans son « Discours de Suède » écrit à l'occasion de la remise du prix Nobel, se désole de constater que les hommes ne tirent pas les leçons du passé, et, qu'après toutes ces terribles guerres, le nucléaire s'annonce être un fléau bien pire que les autres.

| Essai nucléaire ayant eu lieu dans une base du Nevada le 25 mai 1953.

L'œuvre de l'auteur de *La Peste* est donc marquée par le sceau de la violence sanguinaire qui agite les hommes.

UNE LITTÉRATURE MARQUÉE PAR L'HORREUR

La Peste est publiée en 1947, après-guerre donc. Cette année-là, André Gide reçoit le prix Nobel de littérature, et Jean-Paul Sartre, figure intellectuelle majeure, avec Camus, de l'après-Libération, continue de publier et de construire sa théorie de l'existentialisme. C'est dans *La Nausée*, parue en 1938, que l'auteur a développé le concept de l'absurde : comme chez Camus, le héros de ses romans est saisi d'un malaise profond qu'il éprouve à l'égard de l'existence. Les similitudes entre les deux hommes s'arrêtent toutefois là, car Camus ne se revendique pas de la pensée existentialiste. Tous deux ont une conscience aiguë de l'absurdité de la condition humaine, mais Camus développe moins une philosophie qu'une morale, celle de l'homme révolté, au contraire de Sartre, qui juge cette posture insuffisante et passive.

L'année 1947 est aussi celle qui voit émerger la littérature concentrationnaire : les rescapés des camps nazis commencent à raconter leur indicible et douloureuse histoire. C'est le cas notamment de Primo Levi (écrivain italien, 1919-1987), qui publie *Si c'est un homme*, et de Robert Antelme (1917-1990), le compagnon de Marguerite Duras (femme de lettres et cinéaste française, 1914-1996), qui fait paraître *L'Espèce humaine*.

Les écrivains doivent ainsi composer, en cette période, avec les cicatrices encore vives laissées par la guerre. Nombre d'entre eux, affiliés au Parti communiste, choisissent de s'engager, ce que Sartre perçoit comme une nécessité.

Au cours de cette période transitoire, on voit également surgir une nouvelle littérature avec le mouvement du Nouveau Roman, représenté entre autres par Nathalie Sarraute (1900-1999), Claude Simon (1913-2005) ou encore Alain Robbe-Grillet (1922-2008). Tous reprennent le concept de l'absurde et déconstruisent les conventions de l'écriture classique. *L'Étranger* et son écriture blanche fait figure de roman précurseur à cette nouvelle mouvance, tandis qu'au théâtre, un Beckett (1906-1989) ou un Ionesco (1909-1994) feront de ce même concept le moteur dramatique de leurs pièces.

CAMUS, UNE FIGURE DE LA RÉSISTANCE

Camus déclare, dans son « Discours de Suède » :

> « J'avais un plan précis quand j'ai commencé mon œuvre : je voulais d'abord exprimer la négation. Sous trois formes. Romanesque : ce fut *L'Étranger*. Dramatique : *Caligula*, *Le Malentendu*. Idéologique : *Le Mythe*

> *de Sisyphe*. [...] Je prévoyais le positif sous les trois formes encore. Romanesque : *La Peste*. Dramatique : *L'État de siège* et *Les Justes*. Idéologique : *L'Homme révolté* ».

L'œuvre de Camus peut ainsi être divisée en trois cycles, dont le dernier, qui devait concerner l'amour, n'a jamais été écrit. Dans le premier, l'absurde n'est pas dépassé : Sisyphe continue à rouler sa pierre, et Meursault est condamné, lui qui est inadapté au monde et à son langage. Le constat de l'empereur Caligula est sans équivoque : « Les hommes meurent et ne sont pas heureux. » (*Caligula*, acte II, scène 9) Le deuxième cycle apporte des solutions, parmi lesquelles on retrouve la révolte. L'homme révolté est celui qui, bien qu'ayant conscience de l'absurdité du monde, décide de lutter. Cette révolte doit se doubler d'une action collective. La solidarité ne vaincra pas la mort, mais elle mettra à mal la solitude face à l'absurde. Rieux fait ainsi son métier sans relâche, même s'il doit perdre son ami Tarrou ainsi que sa femme et s'il sait que la menace représentée par la peste n'est jamais bien loin.

Ne pas renoncer, ne pas céder au suicide, qu'il soit effectif ou métaphysique, tel est bien le message que véhicule *La Peste*. Si les formations sanitaires résistent au fléau, c'est aussi parce que Camus résiste, en son temps et avec ses moyens, aux fléaux de son époque : le nazisme, le régime de Vichy, la condamnation à mort, les répressions et les dictatures de manière générale, quelles que soient les formes qu'elles puissent prendre. Pendant la rédaction du roman, Albert Camus s'engage dans la Résistance, écrit les *Lettres à un ami allemand*, rédige les éditoriaux de *Combat* dans lesquels il expose ses points de vue sans ambages. Ces appels à la justice et aux droits des hommes, si fondamentaux en cette période, trouvent tous une résonnance forte dans *La Peste*.

ANALYSE DES PERSONNAGES

Il y a peu de femmes dans *La Peste* : c'est que la majorité des protagonistes masculins sont des séparés, contraints à vivre la douloureuse expérience de l'exil, qui est l'un des grands thèmes de l'œuvre. Seule la mère du Dr Rieux, aussi effacée que bienveillante, apporte du réconfort à ceux qui la rencontrent.

BERNARD RIEUX

Le Dr Rieux est le personnage principal du roman, ainsi que le centre gravitationnel de tous les autres protagonistes. Il révèle, à la fin du récit, qu'il est le véritable narrateur de la chronique.

Médecin, il soigne les hommes au sens littéral comme au sens métaphysique. Pour lui, « l'essentiel [est] de bien faire son métier » (p. 44). Modeste, humble, il est toujours prêt à avouer son ignorance, et s'abstient de juger ses semblables. Ainsi, lorsque Rambert lui demande un certificat qui l'aiderait à quitter la ville, Rieux refuse, car cet acte est au-dessus de ses droits. Il ajoute qu'il ne le juge pas pour autant, et qu'il serait « profondément heureux » si Rambert pouvait retrouver sa compagne (p. 85).

Il représente l'archétype de l'homme révolté : tout en ayant conscience de ses limites, il fait ce qu'il peut en tant qu'homme pour soulager les victimes du fléau, sans se prendre pour Dieu auquel il ne croit d'ailleurs pas. Lucide quant à l'absurdité de la vie que l'état de peste accentue, il n'en lutte pas moins, même si la défaite doit être « interminable » (p. 121), puisque la mort finit toujours pas l'emporter. Il éprouve personnellement l'absurdité de cette condition, puisque sa femme, pourtant loin d'Oran, finit par mourir, de même que Tarrou alors que l'épidémie est vaincue. Malgré ces deux pertes, il continuera à exercer son métier, celui de médecin, celui d'homme.

JEAN TARROU

Jean Tarrou est un étranger à Oran : on ne sait pas d'où il vient, ni pourquoi il est là. Peut-être est-il présent afin d'offrir un autre point de vue sur les événements que celui de Rieux. Car son statut d'étranger lui donne du recul, et ses carnets, dont les passages sont distillés au fil des pages du roman, proposent une vision différente de celle du narrateur, marquée notamment par une attention concise sur les petits détails de la vie quotidienne.

Tarrou est l'homme de l'absurde par excellence, et plus encore, à l'instar de Rieux, celui de la révolte. C'est lui qui a l'idée des formations sanitaires volontaires. Ainsi, tout comme le médecin, il souhaite lui aussi lutter contre la maladie, même si leurs efforts semblent vains, car « les victoires seront toujours provisoires » (p. 121). Comme Camus, il refuse toute forme de condamnation à mort, même si celle-ci se met au service d'un idéal noble et juste. Il confesse cela à Rieux en narrant un épisode de son enfance : son propre père, procureur, envoyait des hommes à la mort avec ses réquisitoires. Il s'est donc coupé de sa famille, et des hommes qui soutenaient un système de mise à mort, qu'il qualifie d'ailleurs de « pestiférés » (p. 228). Cela a pourtant eu un prix, comme il affirme lui-même : « À partir du moment où j'ai renoncé à tuer, je me suis condamné à un exil définitif. » (p. 229)

Tarrou cherche donc la paix. Il est conscient de l'absurdité du monde, qu'il observe avec une douce ironie. Dans un univers dépourvu de transcendance, il aspire à être un « saint sans Dieu » (p. 230), sans savoir si cela existe. Au contraire de Grand ou de Rambert, sa quête est floue, mal définie. Il meurt alors que l'épidémie est presque vaincue, comme pour confirmer que l'absurde est bel et bien le lot de cet homme qui se nourrit de la bonté de Mme Rieux, comme s'il cherchait à se reconnecter à la mère, à l'amour et à la solidarité, avant d'expirer.

RAYMOND RAMBERT

Journaliste venu de Paris, Rambert se caractérise par son désir de vouloir quitter la cité pour retrouver la femme qu'il aime. Il est à ce point obsédé par la fuite, qui nécessite des manœuvres sans cesse avortées et toujours répétées, qu'il finit par en oublier l'objet de sa quête, c'est-à-dire sa femme (p. 145).

Le premier, il se rend compte de l'essence fondamentalement absurde de l'épidémie, lorsque Rieux et Tarrou l'interrogent sur l'avancement de ses démarches : « Vous n'avez pas compris que ça consiste à recommencer », dit-il alors que tous trois écoutent en boucle la même chanson, car le journaliste n'a pu se procurer qu'un seul disque (p. 149). Son engagement dans les formations sanitaires, alors même qu'il a enfin la possibilité de quitter la ville, est déterminé par la découverte de la situation de Rieux, lui aussi séparé de celle qu'il aime. Il se reconnaît dès lors en lui, et, par extension, dans la communauté des hommes.

Rambert fait partie des révoltés parce qu'il a su trouver un sens à sa vie pour surmonter l'absurde : contre l'idée de se battre pour des idées, il préfère lutter pour des sentiments. L'amour et le bonheur sont ses motivations principales. Il est récompensé à la fin du roman par les retrouvailles avec sa compagne, bien que l'expérience de la peste l'ait profondément changé : « Il laissa couler ses larmes sans savoir si elles venaient de son bonheur présent ou d'une douleur trop longtemps réprimée, assuré du moins qu'elles l'empêcheraient de vérifier si ce visage enfoui au creux de son épaule était celui dont il avait tant rêvé ou au contraire celui d'une étrangère. » (p. 267)

JOSEPH GRAND

Joseph Grand, un employé municipal modeste, se caractérise par sa simplicité, mais surtout par sa recherche du mot juste. Il ne parvient pas à écrire sa lettre de réclamation pour demander sa promotion, pas plus qu'il n'a su trouver les mots pour retenir son épouse Jeanne. Il accorde une importance extrême au langage et se refuse à en manipuler le sens aussi bien qu'à travestir l'exactitude de sa pensée. Grand va même jusqu'à se replonger dans le latin pour affiner le sens des mots français. Son travail acharné sur la phrase d'introduction de son roman (« Par une belle matinée du mois de mai, une élégante amazone parcourait, sur une superbe jument alezane, les allées fleuries du bois de Boulogne », p. 99), dont les réécritures noircissent pas moins de 50 pages, constitue un « idéal apparemment ridicule » (p. 129) ; comprenons qu'il ne l'est pas du tout. Jacqueline Lévi-Valensi (La Peste *d'Albert Camus*, Paris, Gallimard, 1991) note que le trot de son amazone, qui lui offre une échappatoire aux horreurs du quotidien, s'oppose de façon poétique au lourd piétinement de la peste brune.

Les velléités artistiques de Grand lui permettent de dépasser la maladie (« Grand était à mille lieues de la peste », p. 81) et sa signification métaphysique : l'absurde. Son entreprise est donc loin d'être dénuée de sens. Et, en effet, Tarrou et Rieux prennent intérêt au travail de Grand, dans lequel ils puisent leur oxygène. Atteint de la peste, il demande à Rieux de brûler son manuscrit. Peut-être est-ce une des raisons symboliques pour lesquelles il guérit... Régénéré, il se remet au travail, supprime tous les adjectifs de sa phrase, et se décide finalement à écrire à Jeanne. Son calvaire se termine en même temps que la peste.

LE PÈRE PANELOUX

Homme de l'abstraction, Paneloux ne s'était pas encore confronté à la mort avant l'épidémie. Aussi son premier prêche dans une église bondée remplie de citoyens désorientés est-il franchement accusateur. Se référant à l'Ancien Testament, Paneloux explique l'apparition de la peste comme un châtiment divin envoyé par un Dieu vengeur pour punir la mauvaise conduite des habitants de la ville.

Il s'engage ensuite dans les formations sanitaires de Tarrou et de Rieux, lequel est heureux de « le savoir meilleur que son prêche » (p. 140). En effet, Paneloux n'est pas mauvais, mais il doit vivre l'expérience de la mort pour comprendre que la peste frappe également les innocents, et que le fléau n'est pas une abstraction. La mort du fils du juge, à laquelle il assiste, impuissant, le laisse désemparé. Son second prêche, marqué par le doute et l'incertitude, traduit bien cette évolution du personnage. Le prêtre n'accuse plus les autres d'un ton péremptoire, il s'inclut dans la communauté des hommes : il est passé du « vous » au « nous ». Il questionne sa foi et, après avoir frôlé le propos hérétique (mais pourquoi Dieu infligerait-il un mal pareil ?), il se résigne à tout accepter des œuvres divines, plutôt qu'à tout refuser, et par conséquent à perdre la foi. Il s'y accroche en réalité plus par désespoir que par conviction. Son ambiguïté se traduit dans sa mort : la forme de peste dont il est atteint est étrange, ce pourquoi est inscrit sur sa fiche : « Cas douteux » (p. 211).

COTTARD

Cottard est un personnage à la moralité discutable, qui n'est toutefois pas jugé négativement dans le roman. D'aucuns l'ont assimilé à la figure du collaborateur de la Seconde Guerre mondiale. Il est surtout un homme ayant commis une faute, terrorisé à l'idée qu'elle le rattrape, ce qui explique sa tentative de suicide dans les premières pages. Il complète en cela la galerie des types de personnages, avec ses qualités et ses défauts.

La peste lui permet de reconquérir un statut social. Au début de l'épidémie, il rencontre Rieux et constate « avec une sorte d'enjouement qu'il n'y a aucune raison pour que la peste s'arrête maintenant » (p. 79), comme si le fléau était la meilleure chose qui lui soit arrivée. Au début du roman, Cottard était en effet un être marginal, « un homme bizarre » selon Grand (p. 36). L'épidémie lui permet de s'intégrer à la société, de nouer des relations. Ce n'est pas la mort des autres qui semble le réjouir, mais le fait que « tout le monde [soit] dans le même bain » (p. 178). Tarrou signale à son sujet que « la seule chose qu'il ne veuille pas, c'est être séparé des autres. Il préfère être assiégé avec tous que prisonnier tout seul » (p. 178). Cottard s'enrichit certes grâce au marché noir et profite de la peste, mais, toujours selon Tarrou, ce personnage n'est pas méchant et aime la compagnie des hommes. Il fait d'ailleurs preuve d'une lucidité certaine à leur égard : « La seule façon de mettre les gens ensemble, c'est encore de leur envoyer la peste. » (p. 179)

LE VIEIL ASTHMATIQUE

Le personnage du vieil asthmatique « avait jugé à 50 ans qu'il en avait assez fait. Il s'était couché et ne s'était plus relevé depuis » (p. 111). Il a donc rompu non seulement avec la société, mais également avec le temps, qu'il mesure à sa façon en transvasant des pois d'une marmite à l'autre, ce qui lui permet de connaître l'heure de ses repas. Cette indépendance, bien qu'extravagante, peut être interprétée comme une prise de contrôle sur sa vie, et donc comme une sortie de la condition humaine et des habitudes vides de sens qui la constituent. En ce sens, ce personnage se situe à l'opposé de l'homme révolté tel que le conçoit Camus, puisque, en se désolidarisant de la condition humaine, il s'éloigne également de ses semblables.

ANALYSE DES THÉMATIQUES

Dans une lettre adressée à Roland Barthes, Albert Camus expose ses intentions d'auteur et les idées qui sous-tendent son roman : « *La Peste*, dont j'ai voulu qu'elle se lise sur plusieurs portées, a cependant comme contenu évident la lutte de la résistance européenne contre le nazisme. » (« Réponse à Barthes », in *Club*, février 1955) Il est donc juste de voir dans le fléau une métaphore des événements de la Seconde Guerre mondiale. Mais il convient de retenir de cette citation que cette seule lecture est insuffisante. Si nous lisons encore ce roman aujourd'hui, c'est que le mythe qu'il contient est bien plus riche.

MÉTAPHORES DE LA PESTE

L'épidémie est un topos littéraire. De nombreux auteurs l'ont traitée et continuent à le faire de nos jours, d'une part parce qu'elle donne lieu à des intrigues intensément dramatiques, d'autre part parce qu'elle fournit un angle d'approche qui permet d'écrire les passions des hommes. L'état de maladie, enfin, bouleverse le fonctionnement normal d'une personne, d'une société, agissant ainsi comme un révélateur de la condition humaine. La peste, particulièrement meurtrière au cours de l'Histoire (elle a notamment sévi à Athènes en 429 av. J.-C. ; en Europe au XIVe siècle, où elle a causé la mort d'environ 24 millions de personnes ; à Milan, en 1575 et 1630, ou encore à Londres et à Marseille en 1720), est évoquée par nombre d'auteurs à travers les siècles : Sophocle (poète tragique grec, entre 496 et 494-406 av. J.-C.) dans *Œdipe roi* ; Lucrèce (poète et philosophe latin, vers 98-55 av. J.-C.) dans le livre VI du *De natura rerum* ; Pétrarque (poète et humaniste italien, 1304-1374) dans *Lettres familières* ; Boccace (écrivain italien, 1313-1375) dans le *Décaméron* ; Daniel Defoe (écrivain anglais, 1660-1731) dans *Préparatifs convenables contre la peste* ; Jules Michelet (écrivain et historien français, 1798-1874) dans le tome XVII de l'*Histoire de France*, ou encore Marcel Pagnol (écrivain et cinéaste français, 1895-1974) dans *Les Pestiférés*. Camus s'inscrit donc dans une longue tradition littéraire en reprenant ce motif à son compte.

Il dit à ce propos qu'il a « [voulu] exprimer au moyen de la peste l'étouffement dont nous avons souffert et l'atmosphère de menace et d'exil dans laquelle nous avons vécu » et qu'il veut « du même coup étendre cette interprétation à la notion d'existence en général » (*Carnets II*, Paris, Gallimard, 1964, p. 72). La peste s'interprète donc, dans un premier temps, comme la peste brune du nazisme, avant de représenter la condamnation à mort, quelles que soient les formes qu'elle puisse prendre, physiques ou métaphysiques. En outre, cette épidémie aura pour conséquence de révéler à l'homme son caractère profond.

La guerre

La situation d'Oran, « île malheureuse » (p. 156) prisonnière de la peste, évoque de bien des façons les nombreuses villes d'Europe qui, de 1939 à 1945, ont vécu sous l'oppression nazie. Dès la fermeture de la cité, les mesures prises par la préfecture renvoient de façon directe à la situation de la France occupée : les hommes sont séparés de leurs proches, le rationnement génère un marché noir (dont Cottard profite allègrement : « Il revendait ainsi des cigarettes et du mauvais alcool dont les prix montaient sans cesse et qui étaient en train de lui rapporter une petite fortune », p. 132), les communications sont difficiles, voire interdites. Aussitôt, un réseau de résistance s'organise : les formations sanitaires volontaires initiées par Tarrou permettent de lutter sans faillir contre le fléau. Comme le souligne Rieux, « il faut être fou, aveugle ou lâche pour se résigner à la peste » (p. 119).

Si ces divers éléments se rapportent tous aux conditions de vie d'une population en état de siège, d'autres motifs rappellent le pouvoir oppresseur d'Hitler ou de Pétain. Devant le nombre extraordinaire de cadavres, il n'y a plus d'autre solution que de les entasser les uns sur les autres dans des fosses communes. Or la situation ne cesse de s'aggraver et, bientôt, il n'y a plus de places dans les cimetières. Des tramways désaffectés sont alors remis en service en vue d'acheminer les morts vers des fours crématoires situés en dehors de la ville, qui diffusent leurs odeurs abominables sur la population oranaise, telle une prédiction funeste. Ces convois de la mort présentent de bien sinistres similitudes avec ceux qui conduisaient les déportés aux camps de concentration et d'extermination. De même, le fonctionnement efficace de la peste, dans le roman, rappelle l'organisation impeccable qui avait cours dans ces camps de la mort érigés par le IIIe Reich.

La mort

Jean Tarrou, lors de sa confession à Rieux, compare explicitement la peste à la mort, et plus spécifiquement au pouvoir qu'ont les hommes de la donner, ce qui fait d'eux des pestiférés, de même que les personnes qui souscrivent à une justice qui inflige la peine capitale. Pol Gaillard, dans son analyse, va plus loin. Selon lui, le bacille de la peste, « qui ne meurt ni ne disparaît jamais » (p. 279) représente la mort qui ne sera jamais vaincue par l'homme (La Peste *de Camus*, Paris, Hatier, coll. « Profil d'une œuvre », 1972, p. 34). Cette phrase qui conclut le roman peut donc se lire comme un appel à la vigilance. Que la peste soit une simple maladie, la métaphore d'une dictature, d'une idéologie ou d'un gouvernement qui s'autorise à tuer ou, en définitive, le symbole de la mort elle-même, il s'agit d'en être conscient, de ne pas oublier, afin de pouvoir lutter contre cet absurde.

Le fléau mythologique

La peste possède par ailleurs une charge mythique extraordinaire.

Un mythe est un récit de faits imaginaires, mettant en scène des êtres symboliques représentant des forces physiques ou des idées philosophiques, métaphysiques ou sociales. Dans un sens restreint, il est l'expression allégorique d'une idée abstraite. La peste présente des caractères mythiques, car elle n'est pas uniquement un bacille qui se répandrait selon les lois de la nature.

La nature justement semble s'allier dans le roman à la peste pour châtier les hommes, comme si une force toute-puissante avait décidé de les condamner. Oran, en effet, semble écrasé par les éléments : « on eût dit que la terre même où étaient plantées nos maisons se purgeait de son chargement d'humeurs, qu'elle laissait monter à la surface des furoncles et des sanies qui, jusqu'ici, la travaillaient intérieurement » (p. 22) ; « des pluies diluviennes et brèves s'abattirent sur la ville » (p. 35) ; « un grand vent brûlant se leva d'abord qui souffla pendant un jour et qui dessécha les murs. [...] Le soleil poursuivait nos concitoyens dans tous les coins de rue et, s'ils s'arrêtaient, il les frappait alors » (p. 106). Les forces climatiques semblent se déchaîner sur les hommes, en même temps que la peste.

La situation semble en passe de se rétablir lorsque, à la fin du mois de novembre, « des pluies de déluge lavèrent le pavé à grande eau, nettoyèrent le ciel et le laissèrent pur de nuages au-dessus des rues luisantes » (p. 220). Après l'été caniculaire durant lequel la peste a atteint des sommets, le « déluge » d'eau semble purifier la ville. Ce passage prend des allures bibliques. Les éléments naturels, après avoir favorisé l'épidémie, semblent l'endiguer. Et, en effet, cette dernière décroît avec l'arrivée de l'hiver.

Enfin, la description de l'agonie de Tarrou porte, elle aussi, les marques du mythe et des éléments vengeurs : « Cette forme humaine qui lui [Rieux] avait été si proche, percée maintenant de coups d'épieu, brûlée par un mal surhumain, tordue par tous les vents haineux du ciel, s'immergeait à ses yeux dans les eaux de la peste et il ne pouvait rien contre ce naufrage. » (p. 261)

Ces glissements vers le mythe, observés surtout à travers les forces cosmiques de la nature, permettent de justifier la peste comme un mythe réécrit par Camus. Ce mythe allégorise de façon exacerbée l'absurde de la condition humaine.

DU RENVERSEMENT À LA RÉVÉLATION

Au cours du récit, le narrateur fait état de nombreux renversements de situation engendrés par la peste.

Cottard, marginal au début du roman, devient ainsi un personnage « normal », intégré à la société. L'été, qu'ordinairement les habitants d'Oran accueillent avec joie, devient ici menaçant, car la chaleur favorise la propagation de la maladie. La métaphore du « soleil de la peste » (p. 108) traduit bien cette assimilation et ce danger.

Le Dr Rieux perçoit aussi ce changement, lorsqu'il prend conscience qu'auparavant, lorsqu'il était appelé pour une consultation, les gens l'accueillaient tel un sauveur. En temps de peste, les familles ne veulent plus lui ouvrir la porte, conscientes que le médecin ne peut que prononcer un décès ou leur retirer l'un de leurs proches pour l'isoler. De même, à la Toussaint, personne ne se rend au cimetière, car comme le souligne Cottard de manière ironique, c'est « tous les jours la fête des Morts » (p. 213).

La peste confronte les hommes à une réalité éprouvante : celle de la mort qui surgit à chaque coin de rue, à chaque minute, et qui n'épargne personne. Elle est une exacerbation de la vie elle-même. La population est confrontée à ses instincts les plus primitifs : alors que certains prennent conscience qu'ils aimaient ceux dont ils sont désormais séparés, d'autres incendient leur maison ou attaquent les portes de la ville. À l'opposé, d'autres ne changent pas : profondément cupides, ils stimulent la peur des gens afin d'écouler leurs stocks de remèdes miracles. Mais la majorité des habitants de la ville est abattue, et ne forme guère plus qu'une foule de « dormeurs éveillés » (p. 169) désormais habituée au désespoir. De petits groupes s'engagent toutefois dans la lutte pour enrayer le fléau.

Si l'épidémie présente un avantage, c'est donc bien celui de révéler le cœur des hommes. Exceptionnellement, Paneloux et Rieux partagent ce point de vue : « La peste a sa bienfaisance [...], elle ouvre les yeux, [...] elle force à penser, comme toutes les autres maladies. » (p. 119) C'est encore la conclusion du Docteur à la fin du roman : « Tout ce que l'homme pouvait gagner au jeu de la peste et de la vie, c'était la connaissance et la mémoire. » (p. 263) Face à l'absurde, la solidarité des hommes est fondamentale, et doit s'assurer par la révolte : il n'y a plus « de destins individuels, mais une histoire collective » (p. 155).

L'EXIL ET LA SÉPARATION

Les notions d'exil et de séparation sont primordiales chez Camus, qui écrit dans un article publié dans le journal *Combat* que la pire tragédie que la France occupée ait connue a été la séparation (*Actuelles. Écrits politiques*, Gallimard, coll. « Folio Essais », 1950, p. 76-78). La citation de Daniel Defoe placée en épigraphe du roman ne dit pas autre chose : la peste symbolise l'emprisonnement, c'est-à-dire la séparation du reste du monde. C'est d'ailleurs l'un des premiers constats du narrateur : « La première chose que la peste apporta à nos concitoyens fut l'exil. » (p. 71)

Cet exil peut prendre plusieurs formes : il peut être social, idéologique, géographique, etc. Tarrou en fait l'expérience : il est séparé des autres hommes parce qu'il refuse l'idée de donner la mort et de participer par conséquent à un système qui s'octroie le droit de condamner. La scène à l'opéra, où le comédien qui joue Orphée meurt sur scène, frappé par la peste, trouve ainsi tout son sens, et fonctionne comme une mise en abyme de la séparation que subissent les Oranais, même si ce n'est pas Eurydice qui meurt cette fois. Camus notait par ailleurs cette « utilisation immodérée d'Eurydice dans la littérature des années 40. C'est que jamais tant d'amants n'ont été séparés » (*Carnets II*, p. 56).

La souffrance née de l'exil ne doit pas être éludée, car c'est elle qui confère aux hommes leur humanité : « La ville était peuplée de dormeurs éveillés qui n'échappaient réellement à leur sort que ces rares fois où, dans la nuit, leur blessure apparemment fermée se rouvrait brusquement. » (p. 169) Cette conscience d'aimer, de vouloir être heureux pour ne pas s'habituer au désespoir est fondamentale. Ici la souffrance possède un rôle positif ; elle est comme une piqûre de rappel. L'aspect le plus dangereux du fléau semble être la routine qu'il instaure.

Le motif de la prison (p. 71) représente parfaitement cette séparation forcée. Cette image est capitale pour Camus qui envisageait, à l'origine, d'intituler son roman « Les Prisonniers », ou du moins d'y faire référence (*ibid.*, p. 41).

Dans Oran déjà prisonnier, le camp d'isolement redouble encore l'exil. Le juge Othon emblématise ici la séparation. Son évolution est, en effet, remarquable au cours du roman. Protagoniste guindé à sa première apparition, « chouette bien élevée » selon Tarrou, qu'accompagnent sa femme, « une souris noire », et deux enfants aux allures de « chiens savants » (p. 32), il s'humanise après la mort de son fils et accepte l'isolement avec humilité, se reconnaissant homme parmi les autres, séparé de sa femme et de sa fille, et définitivement de son fils emporté par la peste. Lorsqu'il rejoint les formations sanitaires volontaires, il conjure donc sa séparation et participe de la révolte solidaire prônée par Camus.

Nous apprenons, dans les dernières pages du roman, que les seules certitudes que les hommes ont en commun sont « l'amour, l'exil et la souffrance » (p. 273), comme si ces trois concepts étaient, finalement, intimement liés. Si tous les hommes sont solitaires, tout du moins peuvent-ils l'être ensemble, tel est le constat doux et amer tiré par Camus.

L'ÉCHEC DE LA COMMUNICATION

« J'ai compris que tout le malheur des hommes venait de ce qu'ils ne tenaient pas un langage clair », déclare Tarrou (p. 229). L'échec des hommes à pouvoir communiquer entre eux avec des mots justes et sincères, porteurs de sens, est l'un des grands problèmes traités dans ce roman.

Cette difficulté est exprimée d'une double façon. La population échoue tout d'abord à parler le « langage du cœur », optant pour « le langage des marchés » (p. 75) ; et, lorsque la communication est impossible, que ni les lettres ni les téléphones ne sont disponibles pour parler à ceux qui sont loin, les télégrammes ôtent toute émotion et défigurent les messages de ceux qui les envoient (« Vais bien. Pense à toi. Tendresse », p. 68-69). Certains s'acharnent tout de même à écrire, et, ne recevant pas de réponse, recommencent la même lettre jusqu'à ce que les mots soient vidés de leur sens : « À ce monologue stérile et entêté, à cette conversation aride avec un mur, l'appel conventionnel du télégramme nous paraissait préférable. » (p. 69) L'on perçoit également cette difficulté à communiquer à travers le ton utilisé par les journalistes extérieurs pour évoquer la situation de la ville. Rieux est ainsi excédé par le « ton d'épopée ou de discours de prix » (p. 130) que prennent les journalistes pour compatir au malheur d'Oran.

Aussi Rieux s'applique-t-il à bien parler. Il avoue son ignorance au besoin, de même qu'il reste toujours honnête, comme lorsqu'il annonce à Tarrou que sa mort est proche lorsque ce dernier est atteint par l'épidémie. Celui-ci ne manque pas de le remercier pour sa franchise : « Merci, dit-il. Répondez-moi toujours exactement. » (p. 260)

Les efforts réalisés par Rieux pour parler de la manière la plus exacte possible, le travail acharné de Grand sur sa phrase qui doit représenter ce qu'il a précisément en tête, les personnages écrivains comme Tarrou et le journaliste Rambert, mettent en abyme le travail d'écriture du roman dans lequel ils apparaissent. Ils dévoilent enfin l'aspect fondamental du langage qui est le lien premier entre les hommes et la condition de leur solidarité.

STYLE ET ÉCRITURE

LA NARRATION ET L'ILLUSION DU RÉEL

Le narrateur de *La Peste* conserve son anonymat tout au long du roman. Nous n'apprenons que dans les dernières pages qu'il s'agit en réalité de Rieux (p. 273). Pourquoi un tel mystère ?

Le récit se veut une chronique fidèle des événements qui se sont produits à Oran, c'est-à-dire une relation exacte des faits, fidèles à leur chronologie. Le narrateur se présente comme un « chroniqueur » qui veut faire « œuvre d'historien » (p. 14). Nous suivons donc pas à pas l'apparition de l'épidémie, son apogée et sa disparition sans qu'il y ait trop de perturbations dans l'ordre chronologique des actions. Pour se faire, le narrateur dispose de témoignages, de confidences des acteurs, ainsi que de textes qui serviront à appuyer la vérité de ses dires.

Si l'identité du docteur reste secrète, c'est avant tout pour renforcer l'illusion de l'objectivité, et donc de réalisme. Une multitude de procédés viennent soutenir cette volonté. La diversité des points de vue en fait partie. Les carnets de Tarrou s'affichent comme un contrepoint parfait de la chronique de Rieux : ils fournissent « une foule de détails secondaires qui ont cependant leur importance » (p. 28-29). Si Rieux s'attache à décrire la situation de la ville dans son ensemble, les saynètes décrites par Tarrou, précises et colorées, viennent compléter le tableau et le rendent plus vivant.

Le narrateur intervient à de multiples reprises dans le roman pour rappeler au lecteur que le chroniqueur veille, à chaque instant, à rapporter des faits exacts. Les formules qu'il emploie sont d'ailleurs signifiantes : « on permettra au narrateur de justifier l'incertitude et la surprise du docteur » (p. 41), « l'intention du narrateur n'est cependant pas de donner à ces formations sanitaires plus d'importance qu'elles n'en eurent » (p. 124), « [...] car il faut bien parler des enterrements et le narrateur s'en excuse » (p. 159). Certaines de ses interventions lui permettent également de souligner le fait qu'il ne peut pas mentir ni enjoliver les faits : « Le narrateur sait parfaitement combien il est regrettable de ne pouvoir rien rapporter ici qui soit vraiment spectaculaire, comme par exemple quelque héros réconfortant ou quelque action éclatante, pareils à ceux qu'on trouve dans les vieux récits. » (p. 165) Cette contrainte (puisqu'il s'agit tout de même d'une fiction) soutient l'illusion du réel. On ne trouve dans le roman aucun héros épique pour sauver les habitants d'Oran, à la manière d'un Hercule ou d'un Jason. L'héroïsme ne peut être qu'ordinaire, comme en témoignent les actions menées par Rieux ou Grand, et plus largement celles des formations sanitaires.

LA TEMPORALITÉ

Si respect de la chronologie il y a, cette dernière subit cependant au cours du roman des modifications très intéressantes. Au début de l'œuvre, des dates bien précises nous informent du jour exact auquel sont apparus les premiers signes de la peste : « le matin du 16 avril » (p. 15) ; « le lendemain 17 avril, à huit heures » (p. 16), « mais le lendemain matin, 18 avril » (p. 20) ; « c'est pourtant le même jour, à midi » (p. 23), etc. Ces repères précis, usuels et connus de tous s'effacent bientôt pour laisser place à des notions plus floues. Le temps se mesure par rapport aux événements marquants liés à la peste ou de manière vague : « au lendemain de la mort du concierge » (p. 35) ; « peu de jours après le prêche » (p. 97) ; « c'est à cette époque » (p. 128), « par un jour de grand vent » (p. 200), « à peu près à la même époque » (p. 238), etc. Si les repères mensuels subsistent, les jours s'effacent sous le piétinement de l'infection qui recouvre tout. Oran vit désormais dans une temporalité singulière, qui n'appartient qu'à elle, déterminée par l'épidémie : « la troisième semaine de peste » (p. 77), « la quatre-vingt quatorzième journée de peste » (p. 112). La maladie, englobante, avale jusqu'aux dates des calendriers. Le sentiment de claustration des Oranais est ainsi souligné.

Ce n'est que lorsque l'épidémie commence à reculer et que la vie renaît au sein de la population, que les dates réapparaissent, et avec elles l'espoir d'un retour à la normale : « Le soir du 25 janvier, une joyeuse agitation emplit la ville. » (p. 247) Les portes de la ville restent closes deux semaines encore, jusqu'à « l'aube d'une belle matinée de février », date ouverte puisqu'elle ouvre sur un nouveau départ, une renaissance de la cité.

UNE ÉCRITURE SATYRIQUE

Albert Camus évoque dans ses *Carnets* l'aspect satirique de *La Peste* : « La rencontre de l'administration qui est une entité abstraite et de la peste qui est la plus concrète de toutes les forces ne peut donner que des résultats comiques et scandaleux. » (*Carnets II*, p. 69) Cette rencontre entre deux entités contraires participe d'une esthétique du contraste productrice d'une ironie grinçante.

L'esthétique du contraste

Ce procédé, qui consiste ici à confronter la violence du fléau et la banalité des procédures, est particulièrement visible lorsque sont mis sur le même plan « les détonations qui claquaient aux portes de la ville » et les « coups de tampon » ; les « incendies » et les « fiches » ; la « terreur » et les « formalités », durant cette période au cours de laquelle la population est promise à « une mort ignominieuse mais enregistrée » (p. 169-170).

Le respect des procédures, auquel s'attachent les hauts fonctionnaires, confinerait au ridicule si la situation n'était pas si tragique. Le comique qui ressort de ce contraste entre la gravité des faits et la routine administrative révèle la déshumanisation des hommes. Le dialogue entre Rieux et le préfet sur la gestion des enterrements est à cet égard édifiant. Alors que les habitants d'Oran meurent par centaines au cours de l'été, les cérémonies funéraires prennent des airs d'activités industrielles, perdant ainsi toute leur charge rituelle et sacrée. Au préfet, qui se satisfait du bon déroulement des opérations, qu'il juge modernes par rapport aux temps médiévaux où les morts de la peste étaient entassés sur des charrettes, Rieux réplique avec une ironie mordante : « C'est le même enterrement, mais nous, nous faisons des fiches. Le progrès est incontestable. » (p. 162) Le docteur, à l'inverse du préfet, n'éprouve aucun contentement face à l'horreur de la situation et aux morts qui s'accumulent. Cette réplique amère témoigne en réalité de l'absence de progrès par rapport aux ravages de la peste des siècles précédents : l'homme est et restera toujours dépourvu face aux fléaux et à la mort.

La caricature des autorités se poursuit plus loin. Le préfet se réjouit de n'avoir pas besoin de recourir aux prisonniers pour effectuer les tâches sanitaires, car les chômeurs se font de plus en plus nombreux. Là encore, il passe à côté de l'essentiel en éprouvant une basse satisfaction : il n'a conscience ni de l'explosion des décès ni de la misère économique qui règne dans sa ville, pas plus que du désespoir de la population qui est prête à risquer sa vie en transportant les cadavres pour gagner de l'argent. Seul compte le bon fonctionnement de la machine administrative.

La volonté des autorités de maintenir la hiérarchie coûte que coûte vire d'ailleurs au grotesque lorsque le narrateur aborde le sujet de la peste au sein de la prison d'Oran. La geôle municipale connaît un taux de mortalité supérieur au reste de la ville puisqu'elle concentre un grand nombre de personnes dans un endroit confiné. Or si les détenus succombent à la peste, leurs gardiens ne sont pas épargnés : « Du point de vue supérieur de la peste, tout le monde, depuis le directeur jusqu'au dernier détenu, était condamné et, pour la première fois peut-être, il régnait dans la prison une justice absolue. » (p. 157) Cette justice absolue n'est pas du goût des autorités qui essaient tant bien que mal de rétablir une sorte de hiérarchie, même dans la mort. Ils tentent de décorer les gardiens d'une médaille militaire, mais l'armée, outrée, s'y oppose. L'idée surgit alors de créer « une médaille de l'épidémie » (p. 157). La narration souligne à quel point, parfois, ce n'est pas tant la peste qui est absurde, sinon le comportement des hommes face à elle.

La satire des pouvoirs

Caricature des autorités, humour noir pour évoquer le comportement des hommes et les rouages d'une administration déshumanisée : les formes du comique sont nombreuses dans *La Peste*.

La satire s'étend en réalité à toutes les formes de pouvoirs – politiques, économiques, médiatiques – qui, détachées des hommes, deviennent des abstractions insensibles. C'est le cas des journaux qui, au cours de l'invasion des rats, titrent avec une outrance comique : « Nos édiles se sont-ils avisés du danger que pouvaient présenter les cadavres putréfiés de ces rongeurs ? » (p. 33) Plus bas, le directeur de l'hôtel explique à Tarrou sa contrariété : il est inconcevable que des rats viennent mourir dans son établissement alors que sa clientèle est respectable (c'est-à-dire argentée).

Ces formes d'humour, distillées subtilement dans les descriptions ou les dialogues, rappellent inévitablement l'écriture comique de Kafka (écrivain tchèque de langue allemande, 1883-1924), que Camus a lu. Dans *Le Procès* (1925) par exemple, Joseph K., le protagoniste principal, apprend un matin qu'il va être jugé, sans réellement connaître la faute qu'il a commise. Il se perd en démarches successives auprès d'une administration toute-puissante et inhumaine, sans jamais trouver d'explications. Cela ne l'empêchera malgré tout pas d'être convaincu de sa culpabilité. Ce roman dévoile, comme celui de Camus, l'absurdité de la condition humaine et des institutions. L'humour y est teinté de désespoir.

UN ROMAN THÉÂTRAL ?

Plus qu'une passion, le théâtre est, chez Albert Camus, un moyen d'expression privilégié. Dramaturge et metteur en scène, l'écrivain y consacre une grande partie de sa vie. *La Peste*, à bien des égards, est nourrie par l'écriture dramatique.

Une structure tragique

La structure de l'œuvre, en premier lieu, rappelle celle de la tragédie classique. Aux cinq actes de la tragédie répondent cinq parties qui suivent une évolution dramatique précise. La première correspondrait donc à l'exposition. En effet, nous y découvrons le lieu de l'action, Oran, la période à laquelle se sont produits les « curieux événements » (p. 11), c'est-à-dire au printemps de l'année 194* (l'année précise n'est pas indiquée), ainsi que les personnages principaux, que Rieux rencontre dans un temps très court. La première partie est également marquée par l'invasion des rats qui amènent la peste dans la cité, jusqu'à ce que l'état de peste soit déclaré et la ville fermée.

Les trois parties suivantes composent le nœud de l'action, comme c'est le cas dans la tragédie. La nature du conflit est développée : la peste s'étend dans la ville pour bientôt la gouverner. L'épidémie atteint son paroxysme au cours de l'été. Différentes péripéties occupent le tableau : le narrateur nous parle de la séparation, Rambert s'acharne à vouloir quitter la ville, Paneloux prononce ses prêches, les formations sanitaires volontaires sont créées, le jeune Othon meurt, suivi par Paneloux, l'automne arrive, la population est épuisée.

La dernière partie, enfin, correspond au dénouement : la peste recule et, malgré la mort de Tarrou, les portes d'Oran s'ouvrent à nouveau : c'est la libération de la ville. La situation de Cottard connaît elle aussi sa résolution, même si elle est négative, puisqu'il se fait arrêter.

Le théâtre et la peste

Pour certains, la peste en tant que maladie posséderait des liens avec le théâtre. C'est en tout cas ce que l'écrivain français Antonin Artaud (1896-1948) avance dans son recueil *Le Théâtre et son double* (1938). Dans l'un des textes de l'ouvrage, il évoque le fait que la peste possède, comme l'art dramatique, une vertu cathartique. La catharsis, concept développé par Aristote (philosophe grec, 384-322 av. J.-C.), suppose qu'une représentation permette au public de se purger de ses émotions les plus violentes. Cela signifie qu'au travers de la situation violente et parfois cruelle qui lui est présentée (la mort d'un personnage sur scène, mais aussi la mort de ses semblables causée par l'épidémie), l'homme sera confronté à ses propres peurs, à ses propres instincts. L'expérience peut et doit être régénératrice. Artaud poursuit sur cette idée :

> « Si le théâtre est essentiel comme la peste, ce n'est pas parce qu'il est contagieux, mais parce que comme la peste il est la révélation, la mise en avant, la poussée vers l'extérieur d'un fond de cruauté latente par lequel se focalisent sur un individu ou sur un peuple toutes les possibilités perverses de l'esprit. » (« Le théâtre et la peste », in *Le Théâtre et son double*, Paris, Gallimard, coll. « Folio Essais », 1964, p. 44)

La peste rend visibles les instincts primitifs de l'homme que cache le vernis de la civilisation. La scène de la mort d'Orphée est, à cet égard, exemplaire, par son fonctionnement de mise en abyme révélateur des comportements humains. Tarrou et Cottard se rendent à l'Opéra municipal pour y voir une représentation d'*Orphée et Eurydice*. La troupe, bloquée dans la ville depuis le début de la peste, y rejoue chaque semaine son spectacle, condamnée à la répétition par l'épidémie. Lorsque l'acteur jouant le poète meurt de la peste sur scène, tout un faisceau de significations se met en place : tout en montrant que l'épidémie ne peut être oubliée, elle révèle aux spectateurs endimanchés leur propre comédie. La foule, horrifiée devant cette mort spectaculaire, fuit, laissant dans la salle « un luxe devenu inutile » (p. 183). La scène théâtrale est donc le lieu par excellence de la révélation de la condition humaine lorsque la peste s'y invite, comme l'annonçait Antonin Artaud.

Nul doute que *La Peste* s'apparie donc au théâtre, et plus encore à la conception qu'Artaud s'en faisait, comme le souligne Madeleine Valette-Fondo : « Si Artaud a influencé Camus, c'est à coup sûr dans l'approfondissement de la théâtralité, le renouvellement de la dramaturgie et l'élaboration de mythes propres à exprimer le tragique contemporain. » (« Camus et Artaud », in *Camus et le théâtre*, IMEC Éditions, 1992, p. 93-101)

LA RÉCEPTION DE *LA PESTE*

ACCUEIL DU PUBLIC ET DE LA CRITIQUE

La Peste connaît un énorme succès auprès du public dès sa publication. Le roman reçoit même le prestigieux prix des Critiques. Des réserves surgissent cependant, en particulier, dans les années cinquante, lorsque intervient la publication de *L'Homme révolté* (1951), un essai qui appartient également au cycle de la révolte, et dont les idées rejaillissent sur *La Peste*. Francis Jeanson taxe, par exemple, la philosophie camusienne (portée principalement par Rieux et Tarrou dans le roman) de « morale de Croix-Rouge » (« Albert Camus ou l'âme révoltée », in *Les Temps modernes*, mai 1952, p. 20-72), faisant ainsi référence au fait que les formations sanitaires volontaires cherchent davantage à guérir plutôt qu'à prévenir le mal, sans prendre d'action pour combattre réellement l'épidémie. Il faut ici lire la peste à un niveau métaphorique. Selon ses détracteurs, si la peste représente effectivement le nazisme, il ne suffit pas d'en soigner les victimes, mais bien de l'empêcher de nuire. Par ailleurs, dans le roman, la peste est un fléau naturel contre lequel on ne peut se battre : les hommes sont impuissants face à elle. Mais il est des fléaux humains – et les dictatures en font partie – contre lesquels il faut lutter ; il s'agit même d'un devoir. Cet avis est partagé par Bertrand d'Astorg, Roland Barthes et surtout Jean-Paul Sartre, qui rompt publiquement avec Albert Camus à la suite de cette polémique.

En effet, l'une des convictions de Camus choque considérablement les intellectuels, spécifiquement les intellectuels marxistes engagés (car le communisme, à cette époque, a le vent en poupe face au fascisme et au capitalisme dont les valeurs ne convainquent pas l'élite de gauche). Celui-ci réfute en effet toutes les idéologies, dès lors qu'elles sont susceptibles de sacrifier des vies humaines pour parvenir à leurs fins. L'avenir ne manquera pas de donner raison à l'auteur de *La Peste*, puisque la découverte des crimes commis par les Soviétiques, particulièrement sous Staline (1878-1953), provoquera la déroute de nombreux intellectuels français. Pour Camus, il ne s'agit pas de se battre pour un idéal dont on ne verra certainement jamais l'avènement, mais de vivre de façon solidaire dans le présent, puisque la mort peut frapper à n'importe quel moment – c'est le principe même de la révolte face à l'absurde.

Notons par ailleurs que les critiques qui ont été faites à *La Peste* étaient peut-être le fruit de consciences encore sous le choc des horreurs de la Seconde Guerre mondiale, qui n'ont pas su voir toute la portée symbolique que pouvait recouvrir le motif de l'épidémie, en dehors de la métaphore du nazisme, alors prééminente.

POSTÉRITÉ DE *LA PESTE*

Aujourd'hui, Camus reste l'un des auteurs contemporains les plus édités, notamment dans le cadre scolaire. *La Peste*, à ce titre, a atteint le chiffre considérable de 5 698 000 exemplaires vendus (FRAISSE (Emmanuel), « Camus et l'école en France. À propos d'une institutionnalisation », in *Albert Camus et les écritures du* XXe *siècle*, Arras, Artois Presses Université, 2003, p. 283-294).

C'est dire si la portée de ses idées persiste de nos jours : les métaphores de la peste s'adaptent en effet aux maux que notre société vit encore aujourd'hui. Camus a donc bel et bien créé un mythe. C'est en tout cas l'opinion de Francis Huster (né en 1947), qui adapte le roman au théâtre en septembre 1989. L'ambition est de taille : il est seul sur scène et joue, tour à tour, les personnages, deux heures durant, tout en restant fidèle au texte autant que possible. La pièce est saluée par la critique et connaît un succès tel qu'elle sera représentée 200 fois. Le spectacle sera ensuite repris au théâtre Marigny en 1994, puis en 2000 au théâtre Saint-Martin, là où l'aventure avait commencé. Pour Francis Huster, la peste métaphorise, dans les années quatre-vingts et quatre-vingt-dix, la montée de l'extrême droite et le Sida, nouvelles formes du mal qui menacent l'homme.

Une adaptation cinématographique voit le jour en 1992. Ce film international, réalisé par l'Argentin Luis Puenzo, s'éloigne sensiblement du texte d'origine : l'action se déroule en Amérique du Sud, dans une ville fermée à cause de l'état de peste. Le choix du lieu n'est pas anodin puisqu'il rappelle les dictatures qui ont sévi dans plusieurs de ces pays. Rambert devient une femme, Martine, qui vient enquêter et qui est suivie de son cameraman Tarrou. Cottard y est un personnage plus sombre, ayant un passé de tortionnaire, alors que nous ne savons pas quelle faute il a commise dans le roman de Camus. L'exagération des caractères et des actions de cette adaptation s'explique sans doute par les nécessités du cinéma qui privilégient le spectacle.

Le théâtre et le septième art, en tout cas, témoignent de l'intérêt que suscite encore *La Peste*, et des significations profondes qui sous-tendent le roman, dont les échos sont d'une modernité incroyable.

Votre avis nous intéresse !

Laissez un commentaire sur le site de votre librairie en ligne et partagez vos coups de cœur sur les réseaux sociaux !

BIBLIOGRAPHIE

SOURCES BIBLIOGRAPHIQUES

- ALLUIN (Bernard), « La Peste », in *Dictionnaire Albert Camus*, sous la direction de Jeanyves Guérin, Paris, Éditions Robert Laffont, 2009, p. 663-669.
- ARTAUD (Antonin), *Le théâtre et son double*, Paris, Gallimard, coll. « Folio Essais », 1964.
- CAMUS (Albert), *Actuelles. Écrits politiques*, Paris, Gallimard, coll. « Folio Essais », 1950.
- CAMUS (Albert), *Caligula*, Paris, Gallimard, coll. « Folio théâtre », 1993.
- CAMUS (Albert), *Carnets II*, Paris, Gallimard, 1964.
- CAMUS (Albert), *Le Mythe de Sisyphe*, Paris, Gallimard, coll. « Folio Essais », 2003.
- CAMUS (Albert), *La Peste*, Paris, Gallimard, coll. « Folio », 2003.
- CAMUS (Albert), « Réponse à Barthes », in *Club*, février 1955.
- FRAISSE (Emmanuel), « Camus et l'école en France. À propos d'une institutionnalisation », in *Albert Camus et les écritures du XXe siècle*, études réunies par Sylvie Brodziak, Christiane Chaulet-Achour, Romuald-Blaise Fonkoua, Emmanuel Fraisse, Anne-Marie Lilti, Arras, Artois Presses Université, 2003, p. 283-294.
- GAILLARD (Pol), La Peste *de Camus*, Paris, Hatier, coll. « Profil d'une œuvre », 1972.
- JEANSON (Francis), « Albert Camus ou l'âme révoltée », in *Les Temps modernes*, mai 1952.
- LÉVI-VALENSI (Jacqueline), La Peste *d'Albert Camus*, Paris, Gallimard, 1991.
- SARTRE (Jean-Paul), « Réponse à Albert Camus », in *Les Temps modernes*, n° 82, août 1952.

- Valette-Fondo (Madeleine), « Camus et Artaud », in *Camus et le théâtre*, Saint-Germain la Blanche-Herbe, IMEC Éditions, 1992, p. 93-101.

SOURCES COMPLÉMENTAIRES

- *Camus et le lyrisme*, actes du colloque de Beauvais 31 mai-1er juin 1996, Paris ? SEDES, 1997.
- « Camus », in *Le Magazine littéraire*, n° 276, avril 1990.
- Camus (Albert), *L'Étranger*, Paris, Gallimard, 1996.
- Camus (Albert), *L'Homme révolté*, Paris, Gallimard, coll. « Folio Essais », 1985.
- Camus (Albert), *Le Premier Homme*, Paris, Gallimard, 1994.
- Vostes (Alain), *Albert Camus ou la parole manquante*, Paris, Payot, 1973.
- Gadoureck (Carina), *Les Innocents et les coupables*, La Haye, Mouton, 1963.
- Grenier (Roger), *Albert Camus soleil et ombre*, Paris, Gallimard, 1970.
- Quilliot (Roger), *La mer et les prisons*, Paris, Gallimard, 1970.

SOURCES ICONOGRAPHIQUES

- Portrait d'Albert Camus, daté de 1957. La photo reproduite est réputée libre de droits.
- Troupe américaine s'apprêtant à débarquer à Oran en novembre 1942. La photo reproduite est réputée libre de droits.
- Soldats britanniques enterrés dans leurs tranchées durant la bataille de Cambrai (20 novembre-4 décembre 1917). La photo reproduite est réputée libre de droits.
- *Au pied des canons*, tableau représentant la bataille de Belchite (24 août-6 septembre 1937) d'Augusto Ferrer-Dalmau. La photo reproduite est réputée libre de droits.

- Photo prise lors de la libération du camp de concentration de Buchenwald, le 16 avril 1945. © H. Miller.
- Défilé de la 10e division parachutiste du général Massu au cours de la bataille d'Alger, 1957. La photo reproduite est réputée libre de droits.
- Essai nucléaire ayant eu lieu dans une base du Nevada le 25 mai 1953. © Federal Government of the United States.

ADAPTATIONS

- *La Peste*, adaptation et mise en scène de Francis Huster, avec Francis Huster, 1989.
- *La Peste*, film de Luis Puenzo, avec William Hurt, Sandrine Bonnaire, Argentine, France, Angleterre, 1992.

Analyse d'œuvre
Si c'est
un homme
de Primo Levi
Profil
Littéraire

L'éditeur veille à la fiabilité des informations publiées, lesquelles ne pourraient toutefois engager sa responsabilité.

www.profil-litteraire.fr

Éditeur responsable : Lemaitre Publishing
Avenue de la Couronne 382 | B-1050 Bruxelles
info@lemaitre-editions.com

ISBN ebook : 978-2-8062-7873-9
ISBN papier : 978-2-8062-7874-6
Dépôt légal : D/2016/12603/167
Couverture : © Lisiane Detaille.

Printed in Great Britain
by Amazon